MW00334703

标 准 中 文 修订版

STANDARD CHINESE (Revised Edition)

练 习 册

第 三 册

WORKBOOK 3

xué xiào
学 校 _____

xìng míng
姓 名 _____

人民教育出版社
PEOPLE'S EDUCATION PRESS

图书在版编目（CIP）数据

标准中文（修订版）练习册. 第 3 册. A/课程教材
研究所编. —北京：人民教育出版社，2008
ISBN 978 - 7 - 107 - 20504 - 0

Ⅰ. 标… Ⅱ. 课… Ⅲ. 汉语—对外汉语教学—习题
Ⅳ. H195.4 - 44

中国版本图书馆 CIP 数据核字（2008）第 020737 号

人民教育出版社出版发行

网址：http://www.pep.com.cn
Fax No·861058758877
Tel No·861058758866
人民教育出版社印刷厂印装

2008 年 3 月第 1 版　2015 年 9 月第 4 次印刷
开本：890 毫米×1 240 毫米　1/16　印张：3.25
定价：25.00 元

著作权所有·请勿擅用本书制作各类出版物·违者必究
如发现印、装质量问题，影响阅读，请与本社出版科联系调换。
（联系地址：北京市海淀区中关村南大街 17 号院 1 号楼　邮编：100081）

前　　言

　　《标准中文》练习册与《标准中文》课本配套使用，是《标准中文》系列教材的重要组成部分，目的是在课本练习的基础上，给学生提供更多的课外练习，帮助学生复习巩固拼音、生字、词语、基本句以及与课文有关的内容。考虑到课本练习和练习册在性质和功能上的不同，大多数听力、说话练习和互动游戏等，都放在了课本练习中，练习册主要是对基础知识的复习和巩固。

　　《标准中文》练习册分为A、B本，单数课的练习放在练习册A中，双数课的练习放在练习册B中，便于学生和教师使用。

　　每课的练习分为A、B、C、D四面。A、B两面主要是拼音、生字、词语的朗读和书写练习；C面主要是部分生字、词语书写练习的重现和有关基本句的相关练习；D面是扩展练习，主要包括词语书写、围绕基本句的互动问答和儿歌、诗歌朗读等内容。A、B、C、D四面各有侧重，又互相照应，形成一个完整的训练体系。

　　本次练习册的修订是在听取了广大海外中文教师的意见后进行的，在内容上适当增加了儿歌、绕口令、古诗等阅读材料，力求更加适合海外中文教学和学习的需要。由于编者经验有限，教材中难免有疏漏不当之处，欢迎广大师生批评指正。

　　参加本书修订的有狄国伟、施歌、常志丹、田睿、王世友、赵晓非，英文翻译白莲，责任编辑王世友，审稿赵晓非、郑旺全，插图制作心合工作室。

课程教材研究所

对外汉语课程教材研究开发中心

2008 年 1 月

目　录

1　大卫在前面 ……………………………………… 1

3　去书店怎么走 ……………………………… 5

5　四季歌 ……………………………………… 9

7　秋天来了 …………………………………… 13

9 圣诞礼物 …………………………………… 17

11 吃月饼 ……………………………………… 21

13 好看的衣服 ………………………………… 25

15 在野外过夜 ………………………………… 29

17 我有点儿不舒服 …………………………… 33

19 爱护眼睛 …………………………………… 37

21 老鹰捉小鸡 ………………………………… 41

23 电脑老师 …………………………………… 45

1 大卫在前面
dà wèi zài qián miàn

kàn hàn zì　xiě pīn yīn

一、看汉字，写拼音。

Write pinyin according to the characters.

(　　) (　　) (　　) (　　) (　　) (　　)

　早　　　晨　　　向　　　左　　　右　　　间

kàn yí kàn　xiě yì xiě

二、看一看，写一写。

Read and write the characters.

早				左			
晨				右			
向				间			

dú yì dú

三、读一读。

Read aloud.

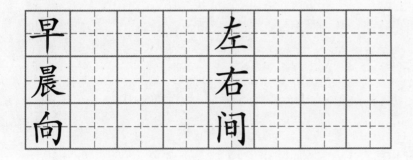

早晨　　　上午　　　下午

起来　　　过来　　　回来

上面　　　中间　　　下面

一、看拼音，写汉字。

Write the characters according to the pinyin.

qián hòu   zuǒ yòu   dōng xī   nán běi   shàng xià   lǐ wài

二、猜一猜，写一写。

Guess the riddles about the characters and write them down.

1. 大一点。（太）

2. 一头牛，没有头。（   ）

3. 口小一点。（   ）

4. 这山比那山高。（   ）

三、看图填空，再读一读。

Fill in the blanks according to the pictures and read them.

放学回家，

面向太阳。

前面是西，

（   ）面是东，

（   ）面是南，

（   ）面是北。

bǎ shēng diào xiāng tóng de zì xiě zài yì qǐ
一、把 声 调 相 同 的 字 写 在 一 起。

Put together the characters with the same tone.

早	晨	向	左
右	间	东	前

zhào yàng zi gǎi xiě jù zi
二、照 样 子，改 写 句 子。

Rewrite the sentences according to the example.

例：老师在我们的前面。

我们在老师的后面。

1. 大卫在汤姆的左面。

_____

2. 小书在大书的上面。

_____

dú ér gē huà huà er
三、读 儿 歌，画 画 儿。

Read the nursery rhyme and draw pictures accordingly.

小猫在我前面走，

小狗跟在我身后。

一只小鸟天上飞，

三个男孩儿在踢球。

xiǎng yi xiǎng　lián yi lián
一、想一想，连一连。

Think about it and draw lines to connect the characters, pinyin and English words.

向	qǐlái	morning
早晨	zhōngjiān	get up
起来	zǎochen	towards
中间	xiàng	middle

dú yi dú　bèi yi bèi
二、读一读，背一背。

Read and recite.

影子在左，

影子在右，

影子是个好朋友，

常常陪着我。

影子在前，

影子在后，

影子是只小黑狗，

常常跟着我。

qù shū diàn zěn me zǒu
3 去书店怎么走

lián yì lián dú yì dú
一、连一连，读一读。

Draw lines to connect the characters and pinyin, and read them aloud.

离	nǐ
你	lí

直	zhí
真	zhēn

往	wǎng
晚	wǎn

拐	gěi
给	guǎi

kàn yí kàn xiě yì xiě
二、看一看，写一写。

Read and write the characters.

怎			离		往		路		
钟			直		拐		道		

tián yì tián dú yì dú
三、填一填，读一读。

Fill in the blanks and read the sentences.

lí

1. 我家 _____ 小云家不太远。

fēnzhōng

2. 从学校到书店需要走5 _____ 。

yìzhí

3. 你从这里 _____ 往前走，就能找到书店。

一、看一看，写一写。
kàn yí kàn xiě yì xiě
Read and write the characters.

怎			离			直		
路			道			拐		

二、读汉字，组词语。
dú hàn zì zǔ cí yǔ
Read the characters and make up words.

怎（　　）　钟（　　）　直（　　）

路（　　）　往（　　）　道（　　）

三、读一读。
dú yì dú
Read aloud.

远不远　　好不好　　大不大

好看不好看　　高兴不高兴　　好玩儿不好玩儿

一、照样子，写一写，读一读。
zhào yàng zi, *xiě yì xiě*, *dú yì dú*

Write and read the characters according to the example.

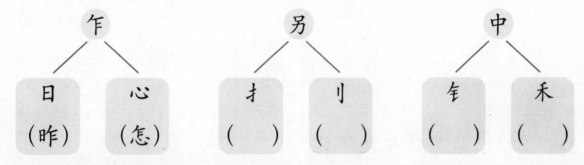

二、读一读。
dú yì dú

Read aloud.

　　小云看见大卫新买了一本书，问是在哪儿买的。大卫告诉她，是在学校东边的书店买的，书店离学校不太远。海伦也知道书店在哪里。小云和海伦想放学后一起去书店买书。

三、读句子，再试着说一个。
dú jù zi, *zài shì zhe shuō yí ge*

Read the sentences and say more according to the examples.

1. 小云的画儿<u>美吗</u>？

　 小云的画儿<u>美不美</u>？

　 小云的画儿<u>很美</u>。

2. 你们班的小朋友<u>多吗</u>？

　 你们班的小朋友<u>多不多</u>？

　 我们班的小朋友<u>不太多</u>。

一、<ruby>读<rt>dú</rt></ruby> <ruby>课<rt>kè</rt></ruby> <ruby>文<rt>wén</rt></ruby>，<ruby>回<rt>huí</rt></ruby> <ruby>答<rt>dá</rt></ruby> <ruby>问<rt>wèn</rt></ruby> <ruby>题<rt>tí</rt></ruby>。

Read the text and answer the following questions.

1. 大卫的新书在哪儿买的？

2. 书店离学校远不远？

3. 去书店怎么走？

二、<ruby>读<rt>dú</rt></ruby> <ruby>句<rt>jù</rt></ruby> <ruby>子<rt>zi</rt></ruby>，<ruby>画<rt>huà</rt></ruby> <ruby>出<rt>chū</rt></ruby> <ruby>学<rt>xué</rt></ruby> <ruby>校<rt>xiào</rt></ruby> <ruby>到<rt>dào</rt></ruby> <ruby>小<rt>xiǎo</rt></ruby> <ruby>明<rt>míng</rt></ruby> <ruby>家<rt>jiā</rt></ruby> <ruby>的<rt>de</rt></ruby> <ruby>路<rt>lù</rt></ruby> <ruby>线<rt>xiàn</rt></ruby> <ruby>图<rt>tú</rt></ruby>。

Read the sentences and draw the route from Xiaoming's school to his home.

小明家在学校的西边。学校的大门朝南。出了校门，向右拐，一直往前走，见到路口，向右一拐就到了。

5 四季歌
<small>sì jì gē</small>

一、读一读，想一想。
Read the characters and think about them.

春　冬　雪　　　　肚　就　歌

二、看一看，写一写。
Read and write the characters.

季			尖			春		
夏			雪			肚		
就			冬					

三、连一连，读一读。
Draw lines to connect the characters and pictures and read them aloud.

春天

夏天

秋天

冬天

tián yì tián　shuō yì shuō
一、填一填，说一说。

Fill in the blanks and say them.

1. "尖" 共（　　　）画，第二画是（　　　）。

2. "季" 共（　　　）画，第六画是（　　　）。

3. "夏" 共（　　　）画，第九画是（　　　）。

4. "就" 共（　　　）画，第十一画是（　　　）。

dú pīn yīn　xiě cí yǔ
二、读拼音，写词语。

Read the pinyin and write the words.

sì jì　　　　　　dù zi　　　　　　xuě rén
（　　　　）　　（　　　　）　　（　　　　）

xià tiān　　　　chūn tiān　　　dōng tiān
（　　　　）　　（　　　　）　　（　　　　）

kàn tú　tián yì tián
三、看图，填一填。

Look at the pictures and fill in the blanks.

我是春天。

kàn yí kàn　xiě yi xiě
一、看一看，写一写。

Read and write the characters.

季		尖		春	
夏		雪		就	

dú gěi bà ba mā ma tīng
二、读给爸爸妈妈听。

Read the rhyme to your parents.

草芽儿尖尖

荷叶圆圆

谷穗弯弯

dú jù zi　xiě jù zi
三、读句子，写句子。

Read the first two sentences and complete the number 3 and 4.

1．小云对妈妈说："祝您生日快乐！"

2．明明对大卫说："我们去海洋馆看表演吧。"

3．我对爸爸说：＿＿＿＿＿＿＿＿＿＿＿＿

4．老师对新同学说：＿＿＿＿＿＿＿＿＿＿

一、^{nǐ zuì xǐ huan nǎ ge jì jié wèi shén me yòng yì liǎng jù huà xiě}
你最喜欢哪个季节？为什么？用一两句话写
^{xià lái}
下来。

Which season is your favorite season? Write down why you like it briefly.

我最喜欢夏天，暑假可以去旅游。

我最喜欢春天，春天最美丽。

二、^{dú pīn yīn bèi gǔ shī}
读拼音，背古诗。

Read the pinyin and remember the ancient poem by heart.

^{chūn xiǎo}
春 晓

^{táng mèng hào rán}
（唐）孟 浩 然

^{chūn mián bù jué xiǎo}
春 眠 不 觉 晓，

^{chù chù wén tí niǎo}
处 处 闻 啼 鸟。

^{yè lái fēng yǔ shēng}
夜 来 风 雨 声，

^{huā luò zhī duō shao}
花 落 知 多 少。

7 qiū tiān lái le 秋天来了

一、xuǎn yì xuǎn dú yì dú 选一选，读一读。

Choose the proper pinyin for the following characters and read them aloud.

着 { ze / zhe

凉 { lián / liáng

实 { sí / shí

黄 { wáng / huáng

蓝 { lán / nán

该 { hái / gāi

二、kàn yí kàn xiě yì xiě 看一看，写一写。

Read and write the characters.

着			凉			实		
叶			黄			应		
该			蓝					

三、dú yì dú jì yí jì 读一读，记一记。

Read and memorize.

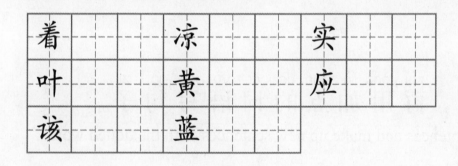

走着来

坐着说

笑着问

准备过冬

准备郊游

准备晚饭

一、<ruby>看<rt>kàn</rt></ruby><ruby>一<rt>yí</rt></ruby><ruby>看<rt>kàn</rt></ruby>，<ruby>写<rt>xiě</rt></ruby><ruby>一<rt>yì</rt></ruby><ruby>写<rt>xiě</rt></ruby>。

Read and write the characters.

着			凉			实		
黄			该			蓝		

二、<ruby>照<rt>zhào</rt></ruby><ruby>样<rt>yàng</rt></ruby><ruby>子<rt>zi</rt></ruby>，<ruby>连<rt>lián</rt></ruby><ruby>一<rt>yì</rt></ruby><ruby>连<rt>lián</rt></ruby>，<ruby>写<rt>xiě</rt></ruby><ruby>一<rt>yì</rt></ruby><ruby>写<rt>xiě</rt></ruby>。

Draw lines to make up words according to the example and write them down.

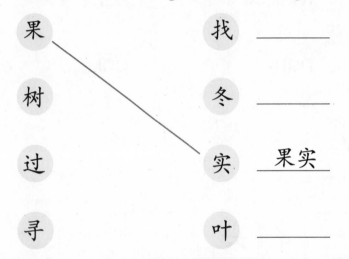

果   找 _____

树   冬 _____

过   实 果实

寻   叶 _____

三、<ruby>读<rt>dú</rt></ruby><ruby>句<rt>jù</rt></ruby><ruby>子<rt>zi</rt></ruby>，<ruby>再<rt>zài</rt></ruby><ruby>用<rt>yòng</rt></ruby><ruby>加<rt>jiā</rt></ruby><ruby>点<rt>diǎn</rt></ruby><ruby>的<rt>de</rt></ruby><ruby>词<rt>cí</rt></ruby><ruby>语<rt>yǔ</rt></ruby><ruby>写<rt>xiě</rt></ruby><ruby>句<rt>jù</rt></ruby><ruby>子<rt>zi</rt></ruby>。

Read the sentences and make up new sentences with the dotted words.

1. 今年暑假你准备去哪儿旅游？

_____

2. 你不回家吃饭，应该给妈妈打个电话。

_____

3. 我真的不知道他去哪儿了。

_____

一、比一比，读一读。
bǐ yì bǐ dú yì dú

Compare and read.

看（看见）

着（看着）

该（应该）

孩（孩子）

蓝（蓝天）

篮（篮球）

二、填空，再读句子。
tián kòng zài dú jù zi

Fill in the blanks and read the sentences.

1. 秋天来了，树（ yè ）（ huáng ）了。

2. 天气一天天（ liáng ）了，小燕子要飞回（ nán ）方了。

三、和妈妈表演下面的对话。
hé mā ma biǎo yǎn xià miàn de duì huà

Have the following dialogue with your mom.

孩子：妈妈，已经六点四十了，我们应该走了。

妈妈：小月的生日晚会几点开始？

孩子：七点半。

妈妈：你送给小月的礼物准备好了吗？

孩子：准备好了。我们坐车去还是走着去？

妈妈：她家很远，我们应该坐车去。

一、读拼音，写句子。
dú pīn yīn, xiě jù zi

Read the pinyin and write down the sentences.

Tiānqì liáng le, shùyè huáng le. Tiān nàme lán, nàme gāo,

qiūtiān zhēn de lái le.

_____

_____

二、读一读。
dú yì dú

Read aloud.

qiū gū niang de diàn bào
秋 姑 娘 的 电 报

hóng sè de hú dié
红 色 的 蝴 蝶，

huáng sè de xiǎo niǎo
黄 色 的 小 鸟，

zài kōng zhōng fēi xiáng
在 空 中 飞 翔，

zài kōng zhōng wǔ dǎo
在 空 中 舞 蹈。

nà bú shì hú dié
那 不 是 蝴 蝶，

nà yě bú shì xiǎo niǎo
那 也 不 是 小 鸟，

shì qiū gū niang dǎ lái de diàn bào
是 秋 姑 娘 打 来 的 电 报——

gào sù wǒ men qiū tiān yǐ jīng lái dào
告 诉 我 们 秋 天 已 经 来 到。

9 圣诞礼物

_{shèng dàn lǐ wù}

一、读一读，记一记。
_{dú yì dú} _{jì yí jì}

Read and memorize.

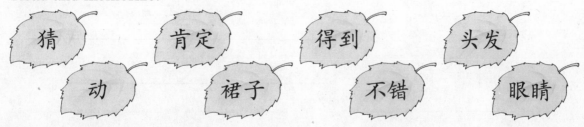

猜　动　　肯定　裙子　　得到　不错　　头发　眼睛

二、看一看，写一写。
_{kàn yí kàn} _{xiě yì xiě}

Read and write the characters.

猜			肯			布		
睛			穿			丽		
裙			咱			错		

三、看图填空，再读一读。
_{kàn tú tián kòng} _{zài dú yì dú}

Fill in the blanks according to the pictures and read them aloud.

一（　^{zhī}　）小鸟

一（　^{běn}　）中文课本

一（　^{gè}　）玩具恐龙

一（　^{gè}　）布娃娃

一、bǎ dài kǒu zì páng de zì xiě xià lái kàn shéi xiě de duō
把 带 "口" 字 旁 的 字 写 下 来，看 谁 写 得 多。

Write down the characters with the radical " 口 " and see who can write more.

二、kàn yí kàn xiě yì xiě
看 一 看，写 一 写。

Read and write the characters.

猜				肯			
晴				穿			
裙				错			

三、yòng cí yǔ zǔ chéng jù zi zài jiā shàng biāo diǎn
用 词 语 组 成 句 子，再 加 上 标 点。

Make up sentences with the following words and punctuate the sentences.

1. 昨天　我们　都　去　了　公园

2. 我们　都　喜欢　这　条　裙子

dú yì dú xiǎng yì xiǎng

一、读一读，想一想。

Read the characters and think about the same components in each group of characters.

青 —— 猜   自 —— 咱

月 —— 肯   羊 —— 群

lián yì lián

二、连一连。

Draw lines to connect the words with pictures.

头发

眼睛

裙子

巧克力

bǎ shèngdàn jié yòng de dōng xi tú shàngyán sè

三、把圣诞节用的东西涂上颜色。

Color the Christmas ornaments in the pictures.

一、看拼音，写词语。
kàn pīn yīn xiě cí yǔ

Look at the pinyin and write the words.

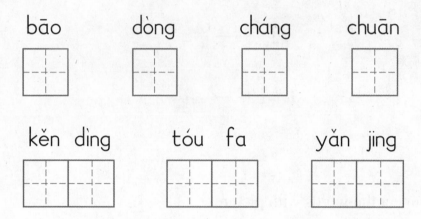

bāo　　　dòng　　　cháng　　　chuān

kěn dìng　　　tóu fa　　　yǎn jing

二、读一读。
dú yì dú

Read aloud.

yì tóu niú liǎng pǐ mǎ
一 头 牛，两 匹 马，

sān tiáo lǐ yú sì zhī yā
三 条 鲤 鱼 四 只 鸭，

wǔ běn shū liù zhī bǐ
五 本 书，六 支 笔，

qī kē guǒ shù bā duǒ huā
七 棵 果 树 八 朵 花，

jiǔ jià fēi jī shí liàng chē
九 架 飞 机 十 辆 车，

liàng cí yòng cuò chū xiào hua
量 词 用 错 出 笑 话。

11 吃月饼
chī yuè bing

一、照样子,连一连。
zhào yàng zi lián yì lián

Draw lines to connect pinyin and the characters.

tuányuán   nónglì   chuántǒng

传统   农历   团圆

二、看一看,写一写。
kàn yí kàn xiě yì xiě

Read and write the characters.

饼			传			统		
每			农			历		
亮			团					

三、照样子,组成词语。
zhào yàng zi zǔ chéng cí yǔ

Fill in blanks according to the example and form phrases.

又 (大) 又 (圆)   又 ( ) 又 ( )

又 ( ) 又 ( )   又 ( ) 又 ( )

21

一、读 一 读，记 一 记。
dú yī dú jì yī jì

Read and memorize.

爸爸	妈妈	爷爷 (yé ye)
奶奶	儿子	孙子 (sūn zi)

二、看 一 看，写 一 写。
kàn yī kàn xiě yī xiě

Read and write the characters.

饼				传			
统				每			
亮				团			

三、比 一 比，再 组 成 词 语。
bǐ yī bǐ zài zǔ chéng cí yǔ

Compare the characters in each column and make up new words.

饼（ ） 传（ ） 国（ ）
饭（ ） 作（ ） 团（ ）

一、数一数，填一填。

shǔ yì shǔ　tián yì tián

Count the strokes of the following characters and fill in the blanks.

| 饼 | 每 | 农 | 传 | 团 | 统 |

6画　　7画　　9画

二、看拼音，写词语。

kàn pīn yīn　xiě cí yǔ

Look at the pinyin and write down the words.

yuè bing
(　　　　　)

diǎn xin
(　　　　　)

mǎ shàng
(　　　　　)

nǎi nai
(　　　　　)

chuán tǒng
(　　　　　)

tuányuán
(　　　　　)

三、读一读，说一说。

dú yì dú　shuō yì shuō

Read the sentences and say them.

1. 他每天怎么上学？

2. 去图书馆应该怎么走？

3. 狗怎么还在那里叫？

4. 游乐场里怎么没有人？

23

kàn tú　shuō yì shuō　xiě yì xiě
一、看图，说一说，写一写。

Look at the pictures, talk about the festivals and write something about it.

_____　　_____

_____　　_____

_____　　_____

dú yì dú
二、读一读。

Read aloud.

zhōng guó de yuè bing pǐn zhǒng hěn duō yǒu guǎng shì de jīng shì
中 国 的 月 饼 品 种 很 多，有 广 式 的，京 式

de hái yǒu sū shì de yuè bing lǐ miàn de xiàn yǒu qīng shuǐ dòu shā
的，还 有 苏 式 的。月 饼 里 面 的 馅 有 清 水 豆 沙

de yǒu shuāng huáng lián róng de yǒu jīn huá huǒ tuǐ de hái yǒu gè
的，有 双 黄 莲 蓉 的，有 金 华 火 腿 的，还 有 各

zhǒng shuǐ guǒ de yuè bing de dà xiǎo yě bù tóng dà de zhòng jǐ bǎi
种 水 果 的。月 饼 的 大 小 也 不 同，大 的 重 几 百

qiān kè kě yǐ guān shǎng yě kě yǐ chī xiǎo de yì kǒu jiù kě
千 克，可 以 观 赏，也 可 以 吃。小 的 一 口 就 可

yǐ chī yí gè zhōng guó de yuè bing yòu xiāng yòu tián fēi cháng hǎo chī
以 吃 一 个。中 国 的 月 饼 又 香 又 甜，非 常 好 吃。

hǎo kàn de yī fu
13 好看的衣服

kàn yí kàn xiě yi xiě
一、看一看，写一写。

Read and write the characters.

衣			服			漂		
牡			丹			名		
暗								

lián yì lián xiě yi xiě
二、连一连，写一写。

Draw lines to connect the components of characters and write down the characters.

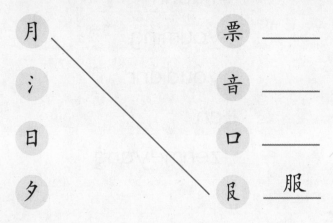

月   票 ____

氵   音 ____

日   口 ____

夕   艮 __服__

kàn tú dú yi dú
三、看图，读一读。

Look at the pictures and read them aloud.

好看的衣服   有名的城市   红色的裙子   漂亮的牡丹

一、<ruby>想<rt>xiǎng</rt></ruby> <ruby>一<rt>yì</rt></ruby> <ruby>想<rt>xiǎng</rt></ruby>，<ruby>说<rt>shuō</rt></ruby> <ruby>一<rt>yì</rt></ruby> <ruby>说<rt>shuō</rt></ruby>。

Think about the numbers of strokes of the following characters and answer each question.

1. 衣，共（　）画，第（　）是 "乀"。

2. 服，共（　）画，第（　）是 "𠃌"。

3. 漂，共（　）画，第（　）是 "㇄"。

4. 丹，共（　）画，第（　）是 "𠃌"。

二、<ruby>连<rt>lián</rt></ruby> <ruby>一<rt>yì</rt></ruby> <ruby>连<rt>lián</rt></ruby>，<ruby>读<rt>dú</rt></ruby> <ruby>一<rt>yì</rt></ruby> <ruby>读<rt>dú</rt></ruby>。

Draw lines to connect the words and pinyin and read them aloud.

暗	shàngmiàn
有名	mǔdān
牡丹	yǒumíng
上面	yǒudiǎnr
怎么样	àn
有点儿	zěnmeyàng

三、<ruby>读<rt>dú</rt></ruby> <ruby>句<rt>jù</rt></ruby> <ruby>子<rt>zi</rt></ruby>，<ruby>说<rt>shuō</rt></ruby> <ruby>句<rt>jù</rt></ruby> <ruby>子<rt>zi</rt></ruby>。

Read the sentences and say them in your own words.

1. 中国的牡丹怎么样？

   中国的牡丹很有名。

2. 红色的裙子怎么样？

   红色的裙子真漂亮！

3. 你的玩具熊怎么样？

   我的玩具熊最可爱。

一、<ruby>填<rt>tián</rt></ruby><ruby>空<rt>kòng</rt></ruby>。

Fill in the blanks.

1. 衣，部首是（　　），除去部首还有（　　）画。

2. 丹，部首是（　　），除去部首还有（　　）画。

3. 牡，部首是（　　），除去部首还有（　　）画。

二、<ruby>照<rt>zhào</rt></ruby><ruby>样<rt>yàng</rt></ruby><ruby>子<rt>zi</rt></ruby>，<ruby>组<rt>zǔ</rt></ruby><ruby>字<rt>zì</rt></ruby>，<ruby>组<rt>zǔ</rt></ruby><ruby>词<rt>cí</rt></ruby><ruby>语<rt>yǔ</rt></ruby>。

Form new characters and words according to the example.

三、<ruby>用<rt>yòng</rt></ruby><ruby>下<rt>xià</rt></ruby><ruby>面<rt>miàn</rt></ruby><ruby>的<rt>de</rt></ruby><ruby>词<rt>cí</rt></ruby><ruby>语<rt>yǔ</rt></ruby><ruby>组<rt>zǔ</rt></ruby><ruby>成<rt>chéng</rt></ruby><ruby>句<rt>jù</rt></ruby><ruby>子<rt>zi</rt></ruby><ruby>再<rt>zài</rt></ruby><ruby>加<rt>jiā</rt></ruby><ruby>上<rt>shàng</rt></ruby><ruby>标<rt>biāo</rt></ruby><ruby>点<rt>diǎn</rt></ruby>。

Make up sentences with the following words and punctuate them.

1. 画着　上面　衣服　牡丹

2. 送的　朋友　真　裙子　漂亮

kàn pīn yīn tián kòng zài dú yì dú
一、看拼音填空再读一读。

Fill in the blanks according to the pinyin and read them aloud.

　　　fu　　　　　　mǔ　　　　　piào　　　　　　　　míng
衣（　）　　（　）丹　　（　）亮　　有（　）

dú ér gē
二、读儿歌。

Read the nursery rhyme.

xiǎo lù guāi guāi
小 鹿 乖 乖，

yī fu shàngmiàn méi huā kāi
衣 服 上 面 梅 花 开，

mì fēng fēi lái xiǎng cǎi mì
蜜 蜂 飞 来 想 采 蜜，

nǐ bú yào pǎo kāi
你 不 要 跑 开。

28

15 在野外过夜

zài yě wài guò yè

一、看一看，写一写。

kàn yí kàn xiě yí xiě

Read and write the characters.

闪			望			妹		
跳			才			休		
息			现			位		

二、比一比，组词语。

bǐ yì bǐ zǔ cí yǔ

Compare the characters in each group and form new words.

闪（　　　）
间（　　　）

休（　　　）
体（　　　）

现（　　　）
玩（　　　）

星（　　　）
生（　　　）

三、看一看，读一读。

kàn yí kàn dú yì dú

Read aloud.

时间　很长的时间

玩了很长的时间

夜空　美丽的夜空

望着美丽的夜空

29

一、lián yì lián　dú yì dú
一、连一连，读一读。

Draw lines to connect pinyin and characters, and read them aloud.

shǎn　tiào　xiū　xiàn　xī　mèi　cái

闪　妹　跳　才　休　息　现　位

二、zhào lì zi　tú yì tú
二、照例子，涂一涂。

Color the characters with the same component according to the example.

王　休　闪　字

子　望　树　间

木　闲　班　学

门　孩　林　现

三、dú yì dú　xiǎng yì xiǎng
三、读一读，想一想。

Read and think about the following words and phrases.

过夜　在野外过夜

休息　在帐篷里休息

一、填空。

Fill in the blanks.

1. 望，共（　　）画，第七画是（　　）。

2. 跳，共（　　）画，第十一画是（　　）。

3. 息，共（　　）画，第八画是（　　）。

4. 现，共（　　）画，第七画是（　　）。

pái yì pái dú yì dú

二、排一排，读一读。

Re-arrange the words in the proper order and read them.

1. 在野外　全家　我们　过夜

2. 位　妹妹　帐篷里　来了　发现　小客人

dú jù zi shuō jù zi

三、读句子，说句子。

Read the sentences and say them in your own words.

1. 妹妹一边跳一边学青蛙叫。

2. 我们一边走一边欣赏路上的风光。

3. 大卫一边吃东西一边打电话。

一、看拼音，写词语。
kàn pīn yīn   xiě cí yǔ

Write the words according to the pinyin.

wàng
(　　　)

tiào
(　　　)

xué
(　　　)

yě wài
(　　　)

qǐ lái
(　　　)

shí jiān
(　　　)

xiū xi
(　　　)

fā xiàn
(　　　)

liàng shǎn shǎn
(　　　)

二、读一读。
dú yì dú

Read aloud.

xīng qī tiān wǒ men quán jiā dào yě wài qù wán wǒ hé mèi mei
星 期 天，我 们 全 家 到 野 外 去 玩。我 和 妹 妹

yì biān zǒu yì biān chàng gē bù yí huì er wǒ men jiù lái dào le
一 边 走，一 边 唱 歌。不 一 会 儿，我 们 就 来 到 了

xiǎo shān jiǎo xià bà ba xiào zhe shuō nǐ men pá shān ba kàn shéi xiān
小 山 脚 下。爸 爸 笑 着 说："你 们 爬 山 吧，看 谁 先

dào shān dǐng wǒ hé mèi mei yì qǐ xiàng shān shang pǎo qù yì zhí
到 山 顶。"我 和 妹 妹 一 起 向 山 上 跑 去，一 直

pá dào shān dǐng cái xiū xi mèi mei gāo xìng de dà shēng hǎn bà ba
爬 到 山 顶 才 休 息。妹 妹 高 兴 地 大 声 喊："爸 爸，

wǒ pá shàng lái le
我 爬 上 来 了。"

17　我有点儿不舒服
wǒ yǒu diǎn er bù shū fu

一、看一看，写一写。
kàn yi kàn　xiě yi xiě

Read and write the characters.

舒				普			
请				通			
疼				药			
医				紧			

二、找一找，涂一涂。
zhǎo yi zhǎo　tú yi tú

Color the characters containing same components.

普　　请　　药　　通

蓝　　近　　春　　该

三、读一读，连一连。
dú yi dú　lián yi lián

Read the following words and draw lines to connect the pinyin with the words.

 shūfu　 tóuténg　zhǐshi　 pǔtōng　 yīshēng　sǎngzi

头疼　　普通　　嗓子　　只是　　舒服　　医生

一、写一写，数笔画。
xiě yì xiě shǔ bǐ huà

Write the following characters and count the number of strokes.

疼 ＿＿ （　画）　　　　　医 ＿＿ （　画）

紧 ＿＿ （　画）　　　　　通 ＿＿ （　画）

二、想一想，填一填。
xiǎng yì xiǎng tián yì tián

Fill in the blanks with appropriate characters that can form new words with both characters in each.

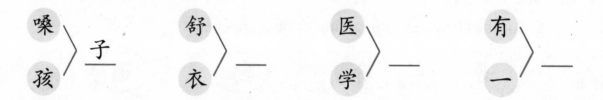

三、读一读，说一说。
dú yì dú shuō yì shuō

Read and find more words like the examples.

看	看看
说	说说
＿＿	＿＿

休息	休息休息
准备	准备准备
＿＿	＿＿

一、<ruby>看<rt>kàn</rt></ruby><ruby>拼<rt>pīn</rt></ruby><ruby>音<rt>yīn</rt></ruby>，<ruby>写<rt>xiě</rt></ruby><ruby>词<rt>cí</rt></ruby><ruby>语<rt>yǔ</rt></ruby>。

Fill in the blanks according to the pinyin.

头 _____（téng）　　　　喝 _____（xiē） 水　　　　不要 _____（jǐn）

普 _____（tōng）　　　　吃点儿 _____（yào）　　　　不 _____（shū） 服

二、<ruby>照<rt>zhào</rt></ruby><ruby>样<rt>yàng</rt></ruby><ruby>子<rt>zi</rt></ruby><ruby>填<rt>tián</rt></ruby><ruby>空<rt>kòng</rt></ruby>，<ruby>再<rt>zài</rt></ruby><ruby>读<rt>dú</rt></ruby><ruby>一<rt>yì</rt></ruby><ruby>读<rt>dú</rt></ruby>。

Fill in the blanks according to the examples and read them.

1.

我		头疼。
	有点儿	

2.

吃		药
	点儿	

kàn yí kàn lián yì lián
一、看一看，连一连。

Draw lines to match the words and pictures.

感冒

发烧

肚子疼

嗓子疼

xuǎn cí tiánkòng zài dú yi dú
二、选词填空再读一读。

Choose from the following words to fill in the blanks and read the paragraph.

请　点儿　有点儿　只是　不要紧

大卫吃晚饭的时候，肚子（　　　　）不舒服。妈妈

打电话（　　　　）医生来看看。医生问大卫今天吃了什么

东西，大卫说吃了很多冰淇淋。医生说（　　），（　　）

着凉了。吃（　　　　）药，再喝些热水就可以了。

19　爱护眼睛
ài hù yǎn jing

一、看一看，写一写。
kàn yi kàn　xiě yi xiě

Read and write the characters.

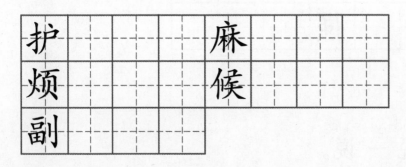

护				麻			
烦				候			
副							

二、读一读，连一连。
dú yi dú　lián yi lián

Read the following pinyin and characters, then draw line to match them.

fù　　má　　hù　　tǎng　　qiáng　　jìng　　dài

三、读一读，写拼音，想一想。
dú yi dú　xiě pīn yīn　xiǎng yi xiǎng

Read the following words, add pinyin and think about them.

_____　　　_____　　　_____

眼睛　　　　　　舒服　　　　　　麻烦

_____　　　_____　　　_____

有时候　　　　　躺着　　　　　　虫子

一、kàn yí kàn 看一看，xiě yi xiě 写一写。

Read and write the characters.

| 躺 | | | | 戴 | | | |
| 镜 | | | | 强 | | | |

二、dú yi dú 读一读，shuō yi shuō 说一说。

Read the following words and phrases and say more according to the pattern.

> 看书　　　躺着看书
>
> 回家　　　跑着回家
>
> 上学　　　走着上学

三、zhào yàng zi 照样子，xiě jù zi 写句子。

Make up sentences according to the example.

1. （戴着）约翰戴着眼镜。

2. （穿着）＿＿＿＿＿＿＿。

3. （背着）＿＿＿＿＿＿＿。

一、看<ruby>拼<rt>kàn</rt></ruby><ruby>音<rt>pīn yīn</rt></ruby>，<ruby>写<rt>xiě</rt></ruby><ruby>词<rt>cí</rt></ruby><ruby>语<rt>yǔ</rt></ruby>。

Write down the words according to the pinyin.

ài hù	jìn shì	yǎn jìng
_____	_____	_____

má fan	yáng guāng	yǒu shí hou
_____	_____	_____

二、<ruby>读<rt>dú</rt></ruby><ruby>一<rt>yì</rt></ruby><ruby>读<rt>dú</rt></ruby>。

Read the following sentences.

1. 戴着眼镜多麻烦！

2. 我的玩具小熊多可爱！

3. 中秋节的月亮多圆！

4. 早上的空气多新鲜！

一、xiǎng yì xiǎng xiě yì xiě 想一想，写一写。

Read the first two sentences and complete the number 3 and 4 in the same pattern.

1. 妈妈说："不要躺着看电视。"

2. 老师说："上课的时候不要吃东西。"

3. _____ 说："_____。"

4. _____ 说："_____。"

二、dú ér gē 读儿歌。

Read the nursery rhyme.

wǒ de yǎn jing
我 的 眼 睛

wǒ de zuǒ bian yǒu yǎn jing
我 的 左 边 有 眼 睛，

wǒ de yòu bian yǒu yǎn jing
我 的 右 边 有 眼 睛。

liǎng zhī yǎn jing hǎo qīn rè
两 只 眼 睛 好 亲 热，

chéng shuāng chéng duì xiàng jiě mèi
成 双 成 对 像 姐 妹。

yǎn jing tiān tiān zài gōng zuò
眼 睛 天 天 在 工 作，

kàn shū kàn bào kàn tú huà
看 书 看 报 看 图 画。

yǎn jing tiān tiān hěn xīn kǔ
眼 睛 天 天 很 辛 苦，

wǒ gěi yǎn jing cháng àn mó
我 给 眼 睛 常 按 摩。

lǎo yīng zhuō xiǎo jī
21 老鹰捉小鸡

kàn pīn yīn tián kòng zài dú yì dú
一、看拼音填空再读一读。

Fill in the blanks according to the pinyin, then read them.

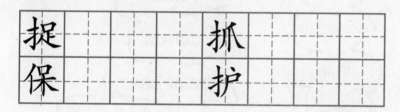

老（ yīng ）　（ mǔ ）鸡　（ bǎo ）护　（ zhuā ）到

（ zhuō ）小鸡　　不要（ jǐn ）　　（ gēn ）在后面

kàn yí kàn xiě yì xiě
二、看一看，写一写。

Read and write the characters.

捉			抓		
保			护		

dú gěi bà ba mā ma tīng
三、读给爸爸妈妈听。

Read for your parents.

当　捉　跟　抓　药　咬　戴　腰　腿

老鹰　个子　母鸡　动作　紧紧　后面　放心

kàn yí kàn xiě yì xiě

一、看一看，写一写。

Read and write the characters.

鹰					母			
跟					强			

lián yì lián dú yì dú

二、连一连，读一读。

Draw lines to connect the following words, pinyin and English translation.

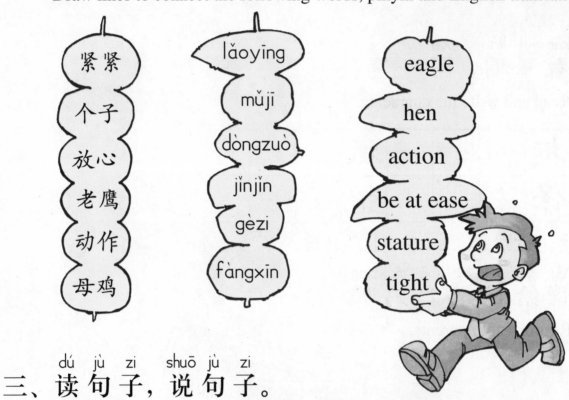

紧紧　个子　放心　老鹰　动作　母鸡

lǎoyīng　mǔjī　dòngzuò　jǐnjǐn　gèzi　fàngxīn

eagle　hen　action　be at ease　stature　tight

dú jù zi shuō jù zi

三、读句子，说句子。

Read the first two sentences and complete the number 3 and 4.

1. 大卫个子大，能保护小鸡们。

2. 海伦能用中文讲故事。

3. 汤姆感冒了，明天_____。

4. 下雨了，今天_____。

一、它们说的对不对？

Are what they said "true" (T) or "false" (F)?

1. 捉，十一画，第六画是"一"。　　(　　)
2. 跟，十三画，第九画是"㇇"。　　(　　)
3. 抓，七画，第四画是"一"。　　(　　)
4. 保，九画，第八画是"丿"。　　(　　)

kàn tú　xuǎn cí tián kòng
二、看图，选词填空。

Choose from the following words and fill in the blanks.

1. 小鸡们紧紧（ 　　）在母鸡后面。

2. 老鹰（ 　　）到了小鸡。

3. 大卫的（ 　　）比汤姆高。

4. 海伦站在小云的（ 　　）。

dú kè wén　pàn duàn duì cuò
三、读课文，判断对错。

Tell "true" (T) or "false" (F) according to the textbook.

1. 汤姆的动作很慢。(　　)

2. 大家放学后玩游戏。(　　)

3. 大卫想当母鸡。(　　)

4. 海伦和小云当小鸡。(　　)

一、把词语排列成句子。
bǎ cí yǔ pái liè chéng jù zi

Re-arrange the following words and make up sentences.

1. 老鹰　当　非常　他　想

2. 肚子　舒服　有点儿　汤姆　不

3. 来　游戏　吗　参加　大卫　能

4. 动物　小　爱护　要　我们

二、读一读。
dú yi dú

Read aloud.

　　放学后，大家一起玩老鹰捉小鸡的游戏。汤姆动作快，他当老鹰。大卫个子大，能保护小鸡，他当母鸡。海伦和小云当小鸡。

　　游戏开始了。老鹰跑呀，抓呀，努力（nǔlì）想抓到小鸡；母鸡也跑呀，挡（dǎng）呀，努力保护小鸡；小鸡们呢，他们紧紧跟在母鸡的后面，跑呀，躲（duǒ）呀。

　　最后，老鹰抓到小鸡了吗？你猜一猜。

23 电脑老师
dià n nǎo lǎo shī

一、选字填空。
xuǎn zì tián kòng

Choose from the following characters and fill in the blanks.

电	点	买	卖
diǎn	diàn	mǎi	mài
( )	( )	( )	( )

脑	闹	市	实
nǎo	nào	shí	shí
( )	( )	( )	( )

二、看一看，写一写。
kàn yí kàn xiě yì xiě

Read and write the characters.

| 电 | | | | 干 | | | |
| 市 | | | | 卖 | | | |

三、读一读，记一记。
dú yì dú jì yì jì

Read and memorize.

> 干 下 忙 卖 当 跟 丢 讲
>
> 电脑 水平 软件 旁边 超市 动作

pīn yì pīn dú yì dú
一、拼一拼，读一读。

Spell and read.

kàn yì kàn xiě yì xiě
二、看一看，写一写。

Read and write the characters.

脑				旁			
忙				超			

xuǎn cí tián kòng
三、选词填空。

Choose from the following words and fill in the blanks.

> 超市　旁边　水平　软件

1. 在哪儿能买到下象棋的游戏＿＿＿＿＿＿？

2. 他家在学校＿＿＿＿＿。

3. 他下围棋的＿＿＿＿＿很高。

4. ＿＿＿＿＿离我家很近。

一、比一比。
bǐ yì bǐ

Compare the following characters.

忙 —— 快   市 —— 京   超 —— 起

目 —— 日   迷 —— 送   丢 —— 去

二、读句子，说句子。
dú jù zi shuō jù zi

Read the examples and complete the number 3 and 4 accordingly.

1. 汤姆在学习中文。

2. 海伦在吃饭。

3. 大卫_____。

4. 小云_____。

三、看一看，读一读。
kàn yí kàn dú yì dú

Read the following sentences.

1. 大卫在和电脑下象棋。

2. 汤姆在超市买游戏软件。

3. 大卫的爸爸工作很忙。

一、说一说你在电脑上干什么。
shuō yì shuō nǐ zài diàn nǎo shang gàn shén me

Talk about what you do on computer.

我在电脑上

二、读一读，选词填空。
dú yì dú xuǎn cí tián kòng

Fill in the blanks with proper words.

海伦：汤姆，你在干什么呢？

汤姆：我在下围棋。

海伦：你在和谁下围棋？

汤姆：我在和电脑下围棋。

海伦：电脑会下围棋吗？

汤姆：_____（当然、可以）会下。

海伦：我也想和电脑下围棋。

汤姆：你_____（当然、可以）去超市买一个下围棋

的游戏软件。

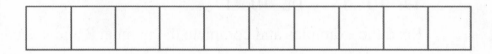